JN001610

倍速▶講義

ChatGPT & 生成AI

監修

岡嶋裕史

中央大学国際情報学部教授

日経BP

はじめに

　2022年11月に登場したChatGPTは、世界に大きな衝撃をもたらしました。膨大なテキストデータを学習した対話型AIで、あらゆるジャンルの質問に対して、まるで人間のように自然な表現で返答することができる技術です。日常会話だけでなく、プログラミングのコード作成や翻訳、企画書の作成など幅広いタスクがこなせるため、特にビジネスシーンでの活用の可能性に期待が高まっています。

　本書は、そんなChatGPTや生成AIをめぐる「いま押さえておきたいポイント」をまとめました。ビジネスや生活の中に急速に浸透し始めているAIのことを、イラスト主体のレイアウトでスピーディーに理解できる1冊になっています。

　皆様が、進化するテクノロジーを味方につけて新しい時代に飛び出していくために、本書を活用してくだされば、これに勝る喜びはありません。

岡嶋裕史

本書の見方

忙しい人に朗報！

ChatGPTと生成AIが
超短時間で理解できる！

タイパ抜群の見るだけレイアウト

1 この見開きの主題・目指す意図です。

2 この見開きで学べる概要です。

3
4 概要をより深く 知るための **3ステップ**
5

6 この章の進捗度合を表示しています。

眺めるだけで
理解できる！
タイパ最強の
入門書！

<table>

Chapter 1 ChatGPTは何がすごいのか

Chapter 2 AIへの注目が高まっている背景

ChatGPTは
何がすごいのか

ChatGPT は、どんな点が革新的なのでしょうか？　世界を驚かせたその性能や仕組みについてチェックしてみましょう。

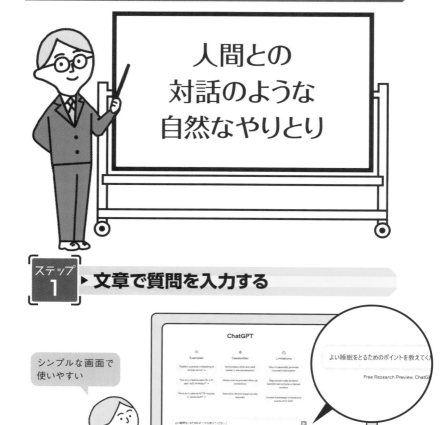

01 ChatGPTを使ってみよう

人間との
対話のような
自然なやりとり

ステップ 1 ▶ 文章で質問を入力する

シンプルな画面で
使いやすい

よい睡眠をとるためのポイントを教えてく

Free Research Preview. ChatG

画面下部に表示される枠の中に質問を入力し、右側の送信ボタンを押します。

※初回利用時はhttps://openai.com/にアクセスし、サインアップ（登録）をする必要があります。

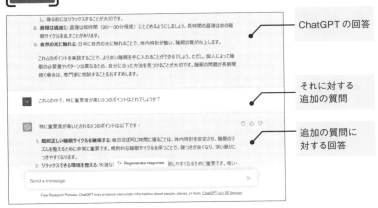

質問に合わせて
回答を「生成」できる

ステップ 1 ▶ 人間の問いかけに応答するチャットボット

人間の問いかけに自動で応答するチャットボットは、カスタマーサポートの現場などで広く使われています。

口座開設の方法が知りたい!

「新規口座開設」ですね

ステップ 2 ▶ ルール外の内容には答えられない

ルールにしたがって決められた回答を行うタイプのチャットボットは、ルールを外れた問いに答えられないことがあります。

貯蓄か投資か、結局のところどっちがいいの?

ステップ 3 ▶ ChatGPTは回答をその場で生成

同じ質問をしても、毎回微妙に答えが変わるね

貯蓄と投資には、それぞれに異なるメリットがあります

えっと……

それから……

一般的には、以下のような観点から……

貯蓄か投資か、結局のところどっちがいいの?

ChatGPT は、回答があらかじめ決められているわけではなく、質問に対する答えをその場で生成して回答しています。

03 "GPT" とは何なのか?

大量の文章データを
学習済みの
AIモデル

ステップ 1 ▶ **OpenAI が開発した AI モデル**

我々 OpenAI が開発・提供する AI モデルです

G Generative（生成）

P Pre-trained（訓練済みの）

T Transformer（AI モデルの名前）

「GPT（Generative Pre-trained Transformer）」は、2018年に最初のモデルが発表された、AIモデルのシリーズです。

ステップ2 ▶ 大量のデータを学習した「大規模言語モデル」

いっぱい
覚えるぞ！

GPTは、膨大な量の文章データを学習した「大規模言語モデル」と呼ばれるAIモデルの一種です。大規模言語モデルにはほかにも、Googleの「PaLM」などがあります。

ステップ3 ▶ ChatGPT で誰もが使えるようになった

GPT の性能を皆さんにわかっていただけたようです

その企画書をもっとよくするためには……

AI はここまで進化しているのか

自然な言葉になっていてすごい！

GPT をチャット用に調整した ChatGPT の登場によって、誰もが気軽に GPT の性能を体感できるようになりました。

AIへの「仕事内容の指示」

ステップ1 ▶ ChatGPTへの質問は「プロンプト」と呼ばれる

プロンプト（＝AIに対する質問、キーワード）

ChatGPTを使うときに入力する質問（文）のことを「プロンプト」と言います。

ステップ 2 ▶ プロンプト次第で多様な使い方ができる

プロンプトを使い分けることで、質問だけでなく仕事の指示や雑談など、ChatGPTから様々な回答を引き出すことができます。

新社会人として身につけておくべきスキルは？

この文書の内容を要約してもらえる？

かしこまりました！

なんか面白い話をして！

ステップ 3 ▶ ほかの生成系AIでもプロンプトが使われる

プロンプト

海辺の岩の絵を描いて

できました！

ChatGPTのほかにも、画像やイラストなどを作り出せるAI（32ページ）への指示もプロンプトと言います。

05 プロンプトの良し悪しで 出力の質が変わる

より良いプロンプトで
AIの潜在能力を
引き出す

ステップ 1 ▶ プロンプトが良くないと欲しい答えが得られない

> メールの送り方を教えてください。

> メールの送信は以下の手順に従って行います。
> ①メールアカウントの作成：まず、利用したいメールサービス（Gmail、Yahoo!メールなど）で新しいアカウントを……

聞きたいことと
違うんだよな……

プロンプトが短すぎたり抽象的すぎたりすると、思い描いた通りの回答が得られないことがあります。

ステップ 2 ▶ 指示の内容に具体性を持たせる

やってほしいことを
もっと詳しく伝えて
みるといいみたい

本当だ！

> 納期を過ぎても商品を送ってこない取引先にメールで連絡をしたいです。
> 相手に不快感を与えないように、やんわりと催促する文面を考えてください。

> いつも大変お世話になっております。
> さて、今回は我々が注文した商品につきまして、心苦しくもお伺いさせて……

的確な回答を得るための1つの方法として、指示の内容に具体性を持たせることがあります。

ステップ 3 ▶ 「使えるプロンプト」の型もある

> あなたはコピーライターです。
> 以下の条件や商品の特徴をもとに、最高のキャッチコピーを考えてください。
>
> #条件
> ・12文字以内で。
> ・商品名はキャッチコピーの中に入れない。
> ・小学生にも伝わるように、難しいフレーズを使わない。
> ……

ChatGPT の立場や役割を明確に伝える

「#」のような記号で区切り、詳細情報や条件を伝える

字数を制限する

使えるプロンプトの型もあります。用途に合わせて型をうまく活用すれば、質の高い回答をスムーズに引き出すことができます。

企画書の添削から
ホームランの
打ち方までカバー

経理の知識に
特化した会話
型 AI です

給与計算のこと
ならお気軽にお
たずねください

給与計算の
ことだけか

でもまあ
心強いじゃない

これまでの小規模な言語モデルでは、限られた範
囲内での会話しかできませんでした。

ステップ 2 ▶ 大規模モデルは学習量がすさまじい

従来の言語モデルの学習データ量は数十GBだったのに対し、ChatGPT登場時の「GPT-3.5」は、世界中から集めた45TBのデータを厳選し、570GBを学習したモデルです。

ステップ 3 ▶ あらゆる分野や用途に対応できる

膨大な学習量を誇る大規模言語モデルをベースに動くChatGPTは、分野をまたがった回答を生成できます。

誰かに
質問するように
検索する

ステップ 1 ▶ Microsoft が OpenAI に追加出資

よろしく
お願いします

こちらこそ

以前から OpenAI との協業を進めてきた Microsoft ですが、
ChatGPT 登場後に数十億ドルの追加出資を発表しました。

ステップ 2 ▶ 「Microsoft Bing」に AI 検索を搭載

チャット形式で調べものができるんですね

誰かに教えてもらっているみたいだ

Microsoftは、検索エンジンの「Bing」にAIチャット機能を導入し、ウェブ検索の新しい形を提案しました。

ステップ 3 ▶ 情報の出典が確認できる

AI が生成した回答の真偽をユーザーがチェックできるよう、回答と一緒に情報の出典が明記されます。

一つ目は「○○」です。 [1]
二つ目は「○○○」です。 [2]

詳細情報
1. ○×□△.com   2. □×□○.com

出典もチェックしてみよう

進化した
新バージョン
「GPT-4」

ステップ
1

▶ 初代 ChatGPT は「GPT-3.5」

GPT-3.5 と
ChatGPT を
公開します

GPT (2018年)
GPT-2 (2019年)
GPT-3 (2020年)
GPT-3.5
&
ChatGPT

OpenAI は 2022 年 11 月 に、GPT-3.5 とそれをベースに動く ChatGPT を公開しました。

ステップ2 ▶ 直後に新バージョン「GPT-4」が公開

もっと性能が高まりました！

なんか新しくなったみたい

有料版（2023年8月現在）で使えるのね

OpenAI は、ChatGPT への注目が日増しに高まる 2023 年 3 月、新バージョン「GPT-4」をリリースしました。

ステップ3 ▶ 米司法試験では下位10%から上位10%に

アメリカの司法試験を受験させた結果、GPT-3 では全受験者の下位 10%の成績だったのに対し、GPT-4 では上位 10%に入るまで向上しました。

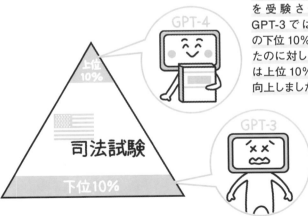

上位10%

司法試験

下位10%

有料版の
「GPT-4」は
機能が充実

ステップ 1 ▶ より高性能な「GPT-4」が利用可能

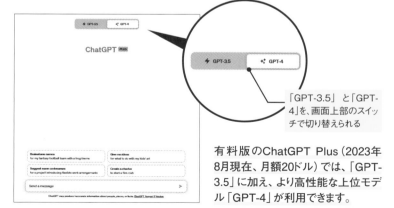

「GPT-3.5」と「GPT-4」を、画面上部のスイッチで切り替えられる

有料版のChatGPT Plus（2023年8月現在、月額20ドル）では、「GPT-3.5」に加え、より高性能な上位モデル「GPT-4」が利用できます。

ステップ 2 ▶ 応答速度アップ、混雑時も優先アクセス

ChatGPT Plusでは応答速度が無料版より速く、さらには混雑時にもアクセス制限を受けることなく利用することができます。

有料版の方は
お先にどうぞ！

ステップ 3 ▶ 応用機能も利用できる

旅行情報サービスのプラグインをChatGPTで利用

那覇空港からのアクセスも良く……

旅のルートをChatGPTで探せるのか！

最新情報もしっかり把握しているね

GPT-4では、外部サービスと連携したプラグイン（拡張機能）を導入することができ、ChatGPTをより便利に使うことができます。

活用シーンが
さらに広がる

▶ 優れた言語処理に評価が集まるGPT

それは素晴らしい
アイデアですね！

バスケットボール
の起源は……

お褒めの言葉を
ありがとうございます

ChatGPT が注目された
理由は、まるで人間のよ
うに自然に言語を扱える
GPTシリーズの性能にあ
ります。

ステップ 2 ▶ GPT-4では画像つきの質問もできる

この資料のデザイン、もっと見やすくならないかな？

そうですね、全体的に良いデザインだと思うのですが

グラフと文字の量のバランスを……

2023年3月に公開されたGPT-4では、画像を使った質問にも対応できるようになりました。

ステップ 3 ▶ 使い道が言語以外にもどんどん広がる

1枚目はフレッシュなイメージを連想させ……

会社のホームページに載せるなら、どっちの写真がいいかな？

このポスター、炎上する可能性あると思う？

もしかすると、背景に写っている女性の……

テキストに加えて画像を扱えるようになったことで、GPTの活用シーンはさらに広がっていくと見られています。

11 「もっともらしい」答えを確率で導き出している

「次にきそうな
フレーズ」を
並べている

ステップ
1 ▶「人間の言葉っぽい」単語の組み合わせ

AIとは、
「人工知能」と
訳され……

大規模言語モデルでは、次に出現する確率の高い言葉をつなぎ合わせて文章を生成しています。

AIとは、	
↓	
「人工知能」と	90%
夕食が	5%
公園で	5%

ステップ2 ▶ 人間の手で微調整も行っている

ありがとう
ございます！

このデータも追加
で学習しておいてね

人間が作成した「質問と回答のセット」のデータを学習させています。「ファインチューニング」という調整作業です。

ステップ3 ▶ より人間っぽい回答が生成できる

ファインチューニングの成果が
出ているね

本当ですね

何かあれば
またご質問
ください！

親切だなあ

かわいいね

人間によるファインチューニングのおかげで、ChatGPT が生成する言語はより自然なものになります。

ChatGPTで仕事の
進め方はどう変わる?

ChatGPTの活用によって、仕事の進め方はどう変わりますか?

ChatGPTの活用は、仕事の進め方を効率化し、革新します。具体的には、自動化と助言の両面でサポートします。一部の単調なタスク、例えばメールのソーティングや一部の報告書作成はChatGPTによって自動化可能となり、それによって作業時間を大幅に削減できます。さらに、ChatGPTは膨大な知識を活用して、疑問に対する答えを提供したり、新たな視点やアイデアを提供したりします。これにより、意思決定プロセスが加速され、より深い洞察が可能となります。

https://chat.openai.com/chat
※「GPT-4」モデルを使用しています。

Chapter

(2)

AIへの注目が
高まっている背景

ChatGPT 効果で大きな注目が集まった AI 分
野をめぐる動きを、ひも解いていきましょう。

生成AIが2020年代に一気に進化した

画像生成AIにも
大きな
注目が集まった

ステップ
1 ▶ 文章、画像などを生み出す「生成AI」

リンゴを持った
少女の絵を描いて

商品の説明文
を書いて

文章やイラスト、画像などを生成する AI を
「生成 AI」あるいは「生成系 AI」と言います。

ステップ 2 ▶ 初期のお絵描きAIは完成度が低かった

可愛いライオン
の絵を描いて

あんまり
よくないな

初期のお絵描き AI は精
度が低く、入力したキー
ワードと矛盾する画像を
作ることもありました。

ステップ 3 ▶ 生成 AI が急速に進歩した

2020 年代では、Midjourney
や Stable Diffusion などに
代表される、お絵描き AI の
進歩に注目が集まりました。

ずいぶん精度
が上がったね

いまは第3次ブームの
真っただ中

ステップ
1 ▶ **第1次ブームのAIは「探索」が基本**

このAIは迷路を
脱出できます

次はどっち
に進もうか

1950年代に起きた最初のAIブームでは、
迷路の脱出やチェスなど、扱える問題の
範囲が狭いという弱点がありました。

▶ 第2次ブームのAIは「専門家」を目指した

専門家の知見を
データベース化し
てAIに与えるぞ

高熱があって
咳が出るとい
うことは

データベースを参照すると、
あなたは風邪ですね

専門家の知見をデー
タベース化してAIを作
る「エキスパートシス
テム」が、第2次ブー
ムをもたらしました。

▶ 第3次ブームは機械学習が原動力

機械学習の登場で、AIの学習プロセスの一部
を自動化できるようになりました。こうして始
まった第3次ブームがいまも続いています。

学習させる手間
と時間が大幅に
減ったぞ！

ここはたぶん
重要なポイン
トだぞ

「判断の過程を
多層化する」
新しい機械学習

ステップ 1 ▶ 脳の神経細胞をまねた「人工ニューロン」

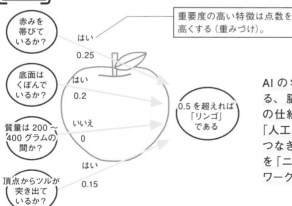

重要度の高い特徴は点数を
高くする（重みづけ）。

赤みを帯びているか？	はい 0.25
底面はくぼんでいるか？	はい 0.2
質量は200〜400グラムの間か？	いいえ 0
頂点からツルが突き出ているか？	はい 0.15

0.5を超えれば「リンゴ」である

AIの学習に使われる、脳の神経回路の仕組みを模倣した「人工ニューロン」をつなぎ合わせたものを「ニューラルネットワーク」と言います。

ステップ 2 ▶ ニューロンを多層化したディープラーニング

輪郭を判断する層

目を判断する層

ディープラーニングとは、ニューラルネットワークの階層を4層以上にしたものを使って行う機械学習のことです。

層が厚くなれば複雑な問題も解決できるのか！

ステップ 3 ▶ 画像や言語の判別で大活躍

ディープラーニングによって、以前の学習方式では難しかった、画像や言語の細かい判別が可能になりました。

こっちが「8」で

こっちは「B」！

お見事！

人なのかAIなのか
見分けがつかない

ステップ 1 ▶ AIの「人間っぽさ」を判定するテスト

暑い日が
続きますね

相手は人間かな?
AIかな?

そうですね、
熱中症には気を
付けましょう

AIなどの機械の反応が人
間的かどうかを判定するテ
ストを、チューリングテス
トと言います。

ステップ 2 ▶ 従来のAIはクリアできなかった

これまでの AI はしばしば、話の
かみ合わなさや対応範囲の狭さか
ら、チューリングテストを突破す
ることができませんでした。

ステップ 3 ▶ 自然言語を巧みに操るChatGPT

ChatGPTが生成し
た文章と、人間が
書いたものを見分
けることは難しくなっ
てきています。

05 生成AIは「解析モデル」と「生成モデル」でできている

真逆の2つのモデルが
組み合わさっている

ステップ
1 ▶ お手本データをAIに学習させる

画像に「これはイヌ」「これはネコ」などの正解のタグを付けた、お手本データを使って学習します。

これは
イヌね

これはネコ
なのか

ステップ 2 ▶ 画像を解析できるモデルが完成

学習によって、イヌやネコを判別する「解析モデル」ができあがります。

これは
何でしょう？

これはたしか……
イヌじゃないかなあ

ステップ 3 ▶ キーワードから画像を生成するモデル

イヌの絵を
描いて

この前覚えたイヌ
のイメージで描い
ていこう

解析モデルが完成した後に、入力されたキーワードに合った画像を作る生成モデルを作ります。

06 「強化学習」でAIの精度が どんどん高まる

フィードバックで
AIが育つ

ステップ 1 ▶ **ChatGPT についている「評価ボタン」**

ChatGPTの回答を「グッド」もしくは「バッド」
で評価することができます。

回答の右上にあ
る親指のマーク
はなんだろう?

回答を評価でき
る機能みたい

▶ 人間がフィードバックを行う

評価機能があることで、回答がどのようによくなかったのかを細かくフィードバックできます。

嘘ばっかりだからこの回答は「バッド」かな

▶ 次のモデルで反映され改善される

この回答は「グッド」がたくさんもらえたぞ

これは有害なのか！気をつけよう

ユーザーからのフィードバックは、次のモデルの改善に活かされます。このような機械学習の仕組みを「強化学習」と言います。

ストレージ、IoT……様々な技術の進化がAIを後押しする

AIの時代を支える
「AI以外の技術」

ステップ 1 ▶ AIの進化には大量のデータが必要

大規模言語モデルの例からもわかるように、優れたAIを作るには大量の学習データが必要です。

これがリンゴだ

たくさんの画像を見て覚えないと

ステップ2 ▶ ストレージが大容量化した

ストレージの進化で保存容量が増え、データが蓄積しやすくなったことも AI の躍進を支えています。

ステップ3 ▶ IoTでデータが集めやすくなった

IoT の進化で様々なモノがインターネットにつながり、多様なデータを集めやすくなってきたことも、AI 時代のキーポイントです。

「2045年までに来る」
という見方もある

ステップ
1 ▶ 「シンギュラリティ」とは?

AIたちがどんどん
レベルアップして
いるね

手に負えなく
なってきた……

シンギュラリティとは一般的に、「AI
の知性が人類の知性を超える時
点」を指す言葉です。

ステップ2 ▶ シンギュラリティ=2045年という予想

2045 年までに来るって

どうも現実味がない

シンギュラリティが来るぞ〜!

シンギュラリティの定義自体も曖昧だね……

シンギュラリティは 2045 年に起きるという説がありますが、現実味がないという批判の声もありました。

ステップ3 ▶ GPTシリーズで現実味を帯びてきた

GPT シリーズの登場によって、多くの人がシンギュラリティをイメージできるようになったのです。

プログラミングもできます

画像の分析もできます

これだけいろんなことができるんだったら

シンギュラリティは十分にあり得るぞ!

シンギュラリティは来る?

「シンギュラリティ」はやってくると思いますか?

「シンギュラリティ」または「技術的特異点」は、AIが人間の知識を超越し、それが社会や科学技術に劇的な影響を及ぼす時点を指す概念です。未来を予測することは困難ですが、技術的特異点が来るかどうかは、技術の進歩速度、規制の状況、社会的な受け入れやすさなど、多くの要素に依存します。

一部の科学者や技術者はシンギュラリティが避けられないと主張していますが、一方でそれは極端な予測であると否定する声もあります。将来のAIの進歩は確かに驚くべきものになるでしょうが、それが必ずしも「シンギュラリティ」に繋がるかどうかは明確ではありません。だからこそ、我々は常にAIの進歩とそれが社会に及ぼす可能性のある影響について深く考え続ける必要があります。

https://chat.openai.com/chat
※「GPT-4」モデルを使用しています。

AI時代にひそむリスク

AIの便利さの裏には、リスクも存在します。
AI時代に知っておきたい、思わぬ落とし穴の
存在を押さえておきましょう。

01 AI規制の動きが欧米で強まっている

リスクが大きすぎる
AIは「禁止」

ステップ1 ▶ 欧州はもともと人権保護が強固

市場の独占は
許せません

個人情報の
持ち出し禁止

欧州は人権保護に対する意識が高く、個人情報を保護するGDPR（EU一般データ保護規則）が施行されています。

ステップ **2** ▶ **EUが打ち出した4段階の規制**

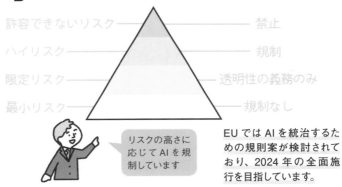

許容できないリスク―――――――――― 禁止

ハイリスク―――――――――――――― 規制

限定リスク――――――――――― 透明性の義務のみ

最小リスク――――――――――――― 規制なし

リスクの高さに応じてAIを規制しています

EUではAIを統治するための規則案が検討されており、2024年の全面施行を目指しています。

出典：総務省「EUのAI規則案の概要 ――欧米のその他の動きや日本への示唆とともに」

ステップ **3** ▶ **違反した企業には厳しい罰則**

EUでAIビジネスをするなら規則厳守。罰金もアリ!

慎重に作らなきゃ……

EU
AI規則案

AI製品

EUの規則案を違反した企業には、年間総売上の6%もの罰金が科せられます。

> 他人の作品を
> 学習データに
> 使っている

ステップ
1
▶ **膨大なデータから学習する生成系AI**

 雲 太陽 海

雲、太陽、海……
全部覚えよう

生成系AIはインターネット上にある、たくさんのデータをお手本にして学習していきます。

ステップ 2 ▶ 学習データの作り手には対価なし

AI は、学習に利用した作品やデータの製作者に対価を支払いません。

ステップ 3 ▶ 元データがそのまま出てくることも

キーワードの伝え方によっては学習したデータがほぼそのまま出力される場合もあり、問題視されています。

機密情報の
入力には要注意

ステップ1 ▶ **様々な仕事に活用できる ChatGPT**

代わりに調査
してほしい

どの治療法が
いいか教えて

全部おまかせ!

プレゼン資料
作っておいて

プログラムは
書ける?

ChatGPT の活用方法は多岐にわたり、専門的な業務の代行なども可能です。

ステップ 2 ▶ ChatGPTは入力データからも学習している

入力された情報も ChatGPTにとっては学習データの一つです。

ふむふむ

このプログラムを修正してほしいんだ

ステップ 3 ▶ 入力した情報が外部に漏れる危険性もある

大手電子メーカーで、ChatGPTによって機密情報が漏れる事態も発生しました。

これは有益な情報だよ

社外秘

個人情報

企業秘密

秘

画期的なプログラムだ!

「もっともらしさ」と
「正しさ」は別物

ステップ
1 ▶ もっともらしい言葉を紡ぐChatGPT

卵かけご飯って
なに?

ご飯に卵をかけ
た日本料理です

ChatGPT は「この言葉の次にはこれが来るだろう」といった確率モデルを使って回答しています。

ステップ 2 ▶ 平然と嘘をつくこともある

家庭料理として広く
親しまれています

生卵の上に醤油や
味噌汁の具を加え
るのが一般的です

ほう、日本料理っ
ぽいね

もっともらしい言葉を並べている
だけなので、事実とは異なる情報
が紛れる場合があります。

ステップ 3 ▶ ファクトチェックは欠かせない

1 ご飯に卵をかけた
　日本料理です　　　　○

2 家庭料理として広く
　親しまれています　　○

3 醤油や味噌汁の具を
　加えるのが一般的です　✕

3は一般的では
ありません

AI の回答は正確性を保証するものではありません。
事実かどうかの判断は人が行う必要があります。

05 最新の情報に疎い ChatGPT

「いつまでの情報か」
に注意が必要

ステップ 1 ▶ **GPT-4の学習データは2021年9月までのもの**

2010年の日本人
の人口は？

約1億2806万人
です

2022年の日本人
の人口は？

・・・

2023 年 3 月に発表された GPT-4 のモデルでも、学習に使われたデータは 2021 年 9 月までの情報です。

ステップ 2 ▶ データにない情報でも回答が出てくる

最新の CD シングルランキングは……

昨日の決勝戦には多くのファンがスタジアムに駆け付け……

昨年発生した台風 19 号では……

質問内容が学習範囲外の場合でも、もっともらしい誤った情報が提示されることもあるため注意が必要です。

ステップ 3 ▶ ウェブ検索との併用もポイント

最新の情報はウェブで収集しよう

これは本当なのか……?

最新かつ確実な情報が必要な場面では、ウェブ検索の活用がおすすめです。

AIが導いた規則性を
人間がチェックする

▶ **冬にはハンドクリームがよく売れる**

ビッグデータ（大量の
データ）を分析する技
術は近年飛躍的な進歩
をとげました。

・寒い
・乾燥する

・手が荒れる
・売上が伸びる

そうだよね

過去のデータから、
冬はハンドクリーム
が売れる季節です

ステップ 2 ▶ 冬には火事が多く発生する

冬は火事の件数が増える季節です

 冬

・寒い
・乾燥する

 火事

・出火原因
・消防車の出動率

AIは、ビッグデータの中から様々な規則性を発見してくれます。

うんうん

ステップ 3 ▶ ハンドクリームが売れると火事が増える?

火事を減らすために、ハンドクリームの販売を中止するべきです

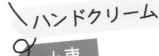 ハンドクリーム

火事

・売上が伸びる
・出火原因

えっ!?

AIが導き出す規則性が正しいかどうかは、人間が見極める必要があります。

AIの判断過程は
ブラックボックス

ステップ
1 ▶ **入力が同じでも出力は変わる**

イヌの
絵

はい！

どうぞ！

イヌの
絵

できました！

イヌの
絵

例えば画像生成AIでは、同じ絵が出続けないように、入力に乱数を加えることで出力を変える工夫がされています。

ステップ
2 ▶ **判断の根拠がわからない**

内部のロジック
が知りたいのに
わからない

どうしてこう
いう結果が出
たんだろう

AIは、その仕組みを理解し
なくても使える半面、判断
の根拠や過程を知ることが
できない場合もあります。

ステップ
3 ▶ **情報の真偽は AI では確かめられない**

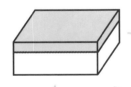
根拠としては
……

その答えの
根拠を教えて

それでこんな
答えになるの
……?

出典や判断の根拠を AI から提示されたとしても、それ
が正しいか否かは、人間が確認する必要があります。

> 悪意ある人間が
> 偏ったAIを
> 作ることができる

▶ **AIは学習データに忠実に育つ**

AI は用意されたデータ
の内容を学習して育って
いきます。

覚えること
がいっぱい

ステップ 2 ▶ データ次第では偏ったAIも作れる

学習データに誤りや偏りがあれば、当然そのAIは嘘や差別的な内容を出力するようになります。

ステップ 3 ▶ 偏った AI に誘導されるリスク

AI を過信していると、重要な意思決定が「差別する AI」によって誘導されてしまう危険性があります。

責任の所在は
議論が必要

▶ AIそのものを罰することはできない

何をやっているんだ！

同じことがまたあったら、もっと厳しい罰が待っているよ！

現状のAIには感情や身体が備わっていないため、罰を与えることに意味がありません。

ステップ 2 ▶「バグ」を罰する法律もない

バグ（プログラムの不具合）はどうしても混入するものなので、故意でない限りそれを罰する法律はありません。開発側が萎縮してしまうからです。

でも罰することはありません

私が作った
プログラムです

ステップ 3 ▶ 利用者の責任とも言いきれない

でもその人を
特定できる？

誤情報を
与えた人が
悪い？

使い方を知ら
なかっただけ
なのに……

知識がないとAIっ
て使っちゃいけな
いの？

AI の利用者に責任を求めるのも、
簡単なことではありません。

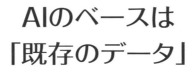

AIのベースは
「既存のデータ」

ステップ
1
▶ AIの学習データは「すでに起こったこと」

過去のデータ
から学習中

AI は過去のデータ、つまり
すでに起こったことを学習し
ています。

ステップ 2 ▶ 「まったく新しいこと」に対応できない

AIは、学習データに含まれていない事象に対応したり、まったく新しいアイデアを出すことを苦手とします。

ステップ 3 ▶ 必要なデータを作って補うことも必要

既存のデータにあまり含まれないイレギュラーな事例や新しい情報は、人間が介入して覚えさせる必要があります。

AIを使う上で注意すべきことは?

AIを活用するにあたって注意すべきことはありますか?

AIの利用には多くの利点がありますが、以下の点に注意することが重要です。

①データプライバシー:AIが個人情報を取り扱う場合、プライバシーの保護は不可欠です。

②バイアス:AIは訓練データに含まれる偏見を学び取る可能性があります。結果が公正であることを確認するには、バイアスの監視と調整が必要です。

③信頼性と透明性:AIの意思決定過程は必ずしも透明ではないため、その結果を適切に解釈し、利用するのは難しい場合があります。

④スキルと教育:AIの効果的な利用には適切なスキルと教育が必要です。AIを導入する前には十分な準備が重要です。

https://chat.openai.com/chat
※「GPT-4」モデルを使用しています。

Chapter

4

AIをどう
使いこなしていくか

うまく使うことができれば、AI は非常に頼もし
い味方になります。AI の特性を知り、新しい
時代を勝ち抜くヒントをつかみましょう。

AI時代に大注目の
新しい技術分野

ステップ1 ▶ AIを活かすも殺すも質問次第

情報の検索には
向いていなさそうだぞ

作文や要約と
いった作業はよ
くやってくれる

英語で質問した
方が回答の精度
が高いな

ChatGPT などの
AI の能力を引き出
すためには、AI に
「何を質問するか」
「どう質問するか」
が重要です。

ステップ 2 ▶ プロンプトには工夫が必要

何かすごい
企画を考えて

曖昧な命令
だから答えづ
らいぞ……

任せて
ください!

質問に具体性を
持たせるなど、プ
ロンプトを工夫す
ることでAIの潜
在能力をうまく引
き出すことができ
ます。

新しい化粧品を
10代の女性に広
げるために……

ステップ 3 ▶ 新時代の技術者? プロンプトエンジニア

あ〜ダメだ!
違うんだよ

最初よりは
よくなったよ

前提条件の説明
をもっと詳しく入
れてみようよ

出版業界を
取り巻く……

よい回答を引き
出せる優れたプ
ロンプトを追い
求める、プロン
プトエンジニアと
いう技術者が登
場しています。

最後の仕上げが
人間の仕事

ステップ 1 ▶ 形式が決まった仕事はお手のもの

このたび、新商品の記者発表会を開催いたします、と

プレスリリースの執筆は、AIに任せよう

AIが得意としているのは、定型文（プレスリリースなど）や量産型コンテンツなどを制作する作業です。

ステップ 2 ▶ AIはたたき台を作る工程で活躍する

こんな配色が
定番のようです

おお、参考に
するよ！

絵の下描きや資料集
めなど、作品のベー
ス作りは AI の得意
な領域です。

ステップ 3 ▶ 仕上げはやっぱり人間の仕事

いいね！
あとは任せて

ちょっと
描いてみました

「AI にある程度作
らせたものを最終
的に仕上げる」役
割のことをクリエ
イターと呼ぶよう
になるかもしれま
せん。

03 著作権問題が解決する!? Adobeの画像生成AI

著作権フリーの
画像で
学習させている
Adobe（アドビ）

ステップ 1

▶ 生成 AI には著作権問題がついて回る

AI が生成した画像を使ってみましょう

似たような写真を見たことがある気がする……

それ、法的に大丈夫?

インターネット上の著作物を学習に使っている AI に対しては、法的なリスクを懸念する声も多くあります。

ステップ 2 ▶ Adobeは膨大な画像データを有している

Adobeは、世界最大級のフォトストックサービス「Adobe Stock」を提供しています。

ステップ 3 ▶ 自社が持つ画像データを学習させる

Adobeが発表した「Adobe Firefly」では、Adobe Stock内にある著作権フリーのデータを学習しているため、法的な問題をクリアしています。

利活用で世界を
リードするチャンス

▶ 欧米を中心に加速するAI規制

50 〜 51 ページでも取り上げた通り、欧米
では AI を規制する動きが進んでいます。

規制に違反したら
罰金を支払いなさい

EU　USA

人々を守るため
AI を規制します

ステップ 2 ▶ OpenAIのCEOが岸田首相と会談

AI開発で日本が果たす役割は大きいです

日本でのAIの活用を検討します

2023年4月、OpenAIのCEOが来日し、岸田首相と会談。欧米での規制強化に反して、日本はAIの活用に対して前向きな姿勢を見せています。

ステップ 3 ▶ 利活用で存在感を見せられるか

僕をたくさん活用してね

規制が少ないから新製品や新サービスをどんどん作っていけるぞ

AIの開発で遅れを取ったとしても、利活用の分野で実績を作るチャンスがあります。

「何でもできる」のが「強いAI」

ステップ 1 ▶ 人間の脳を志向する「強いAI」

予期せぬ出来事にも対応できます

何でもできます！

感情だってあります

AIは「強いAI」と「弱いAI」に分けられます。「強いAI」とは、人の脳と同じ働きをする知能を持ちます。

ステップ 2 ▶ 特定の分野で力を発揮する「弱いAI」

僕は将棋が指せる AI です

私はお絵描き AI です

僕は作曲ができる AI です

「弱い AI」とは、特定のシチュエーションでのみ活躍できる AI のことを言います。

ステップ 3 ▶ 今のAIはすべて「弱いAI」である

ChatGPT は、文句ひとつ言わずに仕事をしてくれるね

感情が備わっていないからね

感情を持ったらそれは「強い AI」だな

ChatGPTを含めて、現状、世に出ているAIはすべて「弱いAI」です。

06 GPTがほかのAIを束ねて「強いAI」に近付く

GPTシリーズが
「AIの集合体」の
中核になる

ステップ 1 ▶ 「弱いAI」でも「言語」を押さえているのは強い

チェスが
できます

チェス AI

車を操作
できます

自動運転の AI

物語が
作れます

プログラムも
書けます

それから
……

文章生成 AI

同じ「弱いAI」であっても、多くの場面で使われる「言語」を押さえている文章生成AIは、様々なことができるように見えるのです。

ステップ 2 ▶ 言語で動くAI同士をGPTがつなぐ

GPT以外の「弱いAI」の中にも、言語をインターフェースにしているAIは多くあります。GPTシリーズが、それらをつなぐ役割を果たす可能性があるのです。

自然言語のプロンプトから、イラストを生成しています

じゃあ君も仲間だ!

僕は翻訳 AI

イラスト生成 AI

ステップ 3 ▶ いろんなことができる AI が誕生する

各分野に特化した「弱いAI」がGPTによってつながれば、「強いAI」とまではいかなくとも、多様なタスクがこなせる汎用的なAIが実現する可能性があります。

何でもおまかせ!

できることが一気に増えたぞ!

万能 AI の誕生ですね!

実践事例から
活用アイデアを
見つける

ステップ1 ▶ お金の不安にAIが寄り添う

相談してみよう

AIがアドバイスを
してくれるんだね

よくあるお悩み
ですよ

将来の教育費
や……

よくあるお金の悩みに、ChatGPTを活用したAIアドバイザーが迅速に
応対する金融サービスが登場しています。

ステップ 2 ▶ 記事が自動で要約されるWebメディア

「AI 要約ボタン」を押すことで、その記事の内容を簡潔にまとめてくれる機能を搭載した Web メディアも登場しています。

ステップ 3 ▶ ざっくりとした希望から物件を紹介する

ChatGPT を搭載した不動産情報サービスでは、顧客が漠然とした希望を文章で入力することで、それに合う物件を提示するという新しい不動産探し体験を提供しています。

「もっともらしくない」を 狙えばAIと差別化できる

AIが出力しない
「外れ値」を狙う

ステップ
1
▶ **AIはルール内での最高の選択肢を取る**

AI はあくまで、与えられた条件
の中での最高の結果や、もっと
もらしい回答を目指します。

王手

やられた
……

うわあ、本当
に強いなあ

ステップ 2 ▶ ルールを破る発想はAIには難しい

前提となるルールを覆すような型破りな発想
は、人間の方が向いています。

ステップ 3 ▶ イノベーションは「外れ値」から生まれる

世の中を沸かせた
イノベーションは、
常識や既存のルー
ルに縛られない「外
れ値」的な発想か
ら生まれたものも
少なくありません。

人間の歴史は
外部化の歴史

ステップ 1 ▶ 大昔から面倒なことを外部化してきた

誰かにものを伝える時は伝書鳩を使おう

人間はこれまでの歴史の中で、面倒なことは外部の存在に任せてきました。

細かい計算は面倒だから計算機に任せよう

ステップ 2 ▶ 最後に残されていた大物が「思考」

> 就職先、どうしよう……

> これだけは自分で考えないと……

様々なものを外部化してきた中で、最後に残されたのが「思考」。これを外部化できるのが AI なのです。

ステップ 3 ▶ リスクが大きい決断はAIが担う?

> 事故を起こしたら大変だから AI に運転を任せよう

リスクを伴う意思決定を、AI に任せる場面が増えていくとみられます。

> 自分で選ぶよりは安心だから保険は AI に決めてもらおう

人間の仕事は
なくならない

ステップ 1 ▶ **単純作業以外にもAIが進出し始めた**

高度な仕事も
難なくこなし
ているね

これらのデータ
を踏まえて……

単純作業だけ
じゃないんだ

近年の AI は、かつてイメージされた
ような単純作業だけでなく、高度な
知的業務にも進出しています。

ステップ 2 ▶ 人間の方が得意な仕事も多い

すごいなあ、僕にはできない

とてもお似合いですよ！

ありがとうございます！

先生の手の温もりで安心できます

お大事にしてくださいね

コミュニケーションのように、AIよりも人間の方が得意な仕事はまだまだあります。

ステップ 3 ▶ 人間向きかAI向きかを判定するAI

これは人間がやるべきかな

はい、これはAI

MIT（米マサチューセッツ工科大学）では、ある判断を人間とAIのどちらに任せた方がいいかを判定するAIを研究しています。

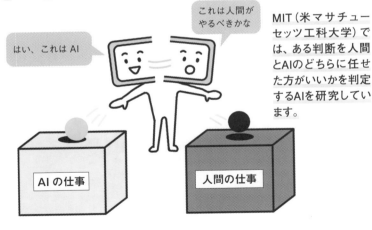

AIの仕事

人間の仕事

人間の進歩のために
AIを使いこなす

ステップ 1 ▶ 人と機械が補い合う「メカニカルターク」

これは僕には向い
ていない作業です

じゃあ人間に
発注しよう

私がやり
ます!

メカニカルターク
では、AIだけでは
無理な仕事を人間
が助けます

アマゾンのメカニカルタークは、機械だけで
は難しい仕事を人間が助ける仕組みです。

ステップ 2 ▶ 人間とAIがタッグを組むチェスの大会

人間とAIがチームで協働しながら戦う「アドバンストチェス」というものもあります。

チェックメイト

参りました……

ステップ 3 ▶ 人間と組むことでAIはより実力を発揮できる

今大会の勝因は？

人間の直感力のおかげです！

いやいや、AIの計算能力あってこそ！

チェスや将棋では人間と組んだ方が、AIはよい成績を残します。これはビジネスの分野でも同じだと考えられるでしょう。

AIと人間は、うまく共生できる?

 AIと人間は、うまく共生していくことができるのでしょうか?

 はい、AIと人間は共生できます。AIは労働力を補完し、効率を向上させ、人間が困難と感じる問題を解決します。一方、人間はAIの倫理、規制、開発方向性を管理します。両者は互いの能力と知識を利用して、より良い社会を形成します。ただし、それにはAIの使用に対する適切な理解と教育が必要です。

https://chat.openai.com/chat
※「GPT-4」モデルを使用しています。

ビジネスを変えるAI

進化を続けるAIが、ビジネスの現場を大きく変える事例が出始めています。変革のアイデアを形にするためのAIの活用法を想像してみましょう。

01 デジタル技術の導入は目的ではなく手段

ゴールはあくまで
「より良いビジネス」

ステップ 1 ▶ 途中で本来の目的を見失うのはよくある話

うちも DX に
取り組むぞ！

最新のデジタル機器
を導入しよう！

やった〜！

DX 完了！

DX（デジタルトランスフォーメーション）の必要性が叫ばれていますが、
デジタル機器を導入することが DX の真の目的ではありません。

ステップ 2 ▶ デジタル化は過程のひとつだと意識する

デジタル化はトランスフォーメーションの一手段にすぎません。デジタル化を伴わない変革もあり得ます。

ステップ 3 ▶ トランスフォーメーションは終わらない

トランスフォーメーションを繰り返して、変化し続ける社会に常に対応し、ビジネスの質を高めていくことが重要です。

02 ルールを変えるための仕組みづくりも重要

意識改革は
DXの第一歩

ステップ 1 ▶ **日本の企業はルールを変更するのが苦手**

日本の企業は、組織のルール変更が必要な業務が
苦手で、なかなか着手しない傾向があります。

ステップ 2 ▶ 原因は「効果がイメージできない」こと

ルール変更ができない原因は、それによる効果を具体的にイメージできないことにあります。

 よくわからない……

 どうせ使いこなせないよ

 作業時間の削減

業務効率向上による業績UP

 ERPを導入するべきです！

システム開発部

ステップ 3 ▶ 組織全体で「変わる勇気」を持つことが大切

サポートするので一緒に頑張りましょう！

意外と使いやすいかも

便利だな〜！

効率化のための提案は大歓迎だ！

ルール変更に言及しやすい仕組み作りはDX成功の鍵の一つです。

03 提言をAIに任せて ルールを変える

「言いづらいこと」を 言ってくれる

ステップ 1 ▶ 人が言うと角が立つことはたくさんある

この会議、本当に意味があるのでしょうか？

一生懸命やっているんだ！

自分の仕事が済んだので、お先に失礼します

上司より先に帰るのか！

ビジネスシーンでは、不合理な慣習に異を唱えると角が立ってしまう場面があります。

ステップ 2 ▶ 「周囲への配慮」がDXを遅らせる

配慮や忖度によって提言ができない
環境は、DX が進まない一因です。

ステップ 3 ▶ AI を「ご意見番」として活用する

言いづらいことを AI に言わせることで、DX を進め
るための提言が増えるかもしれません。

苦手な計算も
資料作成も
AIがサポート

ステップ
1 ▶ ビジネスの現場に広がる「Office」

Microsoft が展開する、Word や Excel といった Office シリーズは、ビジネスの現場で多くの組織や個人に使われています。

ステップ 2 ▶ MicrosoftがOfficeへのAI搭載を発表

Microsoft は、Office ソフトに AI を組み込んだ「Microsoft 365 Copilot」を発表しました。例えば Word では、生成系 AI が文書の作成をアシストする機能などが搭載されました。

ステップ 3 ▶ AI によって作業の多くが自動化される

Excel × AI

データ解析の自動化

PowerPoint × AI

スライド作成の自動化

Outlook × AI

メール文面の自動作成

あらゆる Office ソフトに AI が搭載されることで、多くの作業が自動化され、生産性向上につながると見られています。

zoomがAIモデルの
導入を発表した

> ステップ
> 1 ▶ **ホワイトボードに下書きを書いてくれる**

書記が要らなく
なった！

営業支援ウェブ会議
ツール「zoom IQ」
では、会議の内容
をAIがリアルタイム
でホワイトボードに
まとめる機能が導入
されています。

ステップ 2 ▶ 途中入室でも会議の流れがわかる

途中から入った場合でも、これまでの会議の内容メモが共有されるため、会議にスムーズに合流することができます。

ステップ 3 ▶ 終了後、チャットに要約を送ってくれる

終了後、会議の要約をチャットに送ってくれる機能も付いています。

AIコンシェルジュで
生産性が大幅アップ

ステップ 1 ▶ **社内問い合わせ業務が抱える課題**

年末調整に
ついての……

あの人に聞か
ないとわかん
ないや

全然つながら
ないなあ……

社内問い合わせ業務は、業務の属人化や人員不足などといった問題を抱えがちです。

ステップ 2 ▶ 社内用チャットボットにChatGPTを導入

自然言語で応答ができるという特性に着目し、社内コンシェルジュとしてChatGPTを導入する企業も見られます。

有給休暇について聞きたいことが

何でも聞いてください！

この契約書のフォーマットなんだけど……

ステップ 3 ▶ 業務効率化&コスト削減

ほかの業務に時間を割けるね！

待ち時間が少なくて良い！

24時間、好きな時に問い合わせできる！

社内問い合わせ業務をAI化することで、業務の効率化やコスト削減などにつながります。

ざっくり調べて
まとめる力は一級品

ステップ 1 ▶ ゼロからの情報収集は大変

資料をいっぱい
持ってきたよ!

まずは業界の
基本構造を調
べよう

例えば企業や市場の動向を調査す
るとき、情報収集には多くの手間
と時間がかかります。

ステップ 2 ▶ ChatGPTで大枠をざっくりつかむ

生成系 AI には情報の正確性を求めることはできませんが、調べものに必要となる下地の情報をざっくりとまとめてくれます。

なるほど

雰囲気がなんとなくつかめるぞ

物流業界の特徴として……

ステップ 3 ▶ 情報収集のコツも教えてくれる

調べるときに気を付けた方がいいのは……

おお！
ありがとう！

情報収集のポイントや注意点などを、ChatGPT から助言してもらうという使い方も可能です。

08 ChatGPTに データ分析を任せる

Excelから
データ分析してくれる

ステップ 1 ▶ 分析したいデータセットを用意する

うちの商品の月別
売上データだね

これを分析して
もらおう

分析したいデータセット（データのか
たまり）のファイルを用意します。

ステップ 2 ▶ ファイルを添付し分析内容を指示する

各商品が、どの季節によく売れているかを知りたいね

このファイルは弊社商品の月別売上データです、と

ChatGPTの機能「Code Interpreter」を使うと、ExcelやCSVなどのデータセットを読み込み、プログラミング言語Pythonでのデータ分析を実行してくれます。

※2023年8月現在、Code InterpreterはChatGPT有料版で提供されています。

ステップ 3 ▶ グラフなども交えて分析結果が出力される

グラフまで作ってくれるのか！

わかりやすい！

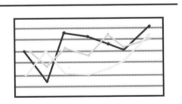

ChatGPTがデータを分析し、表や散布図、折れ線などのグラフを使ったビジュアル表現豊かな資料を添えて結果を出力します。

09 プログラマーとしての ChatGPT

アバウトな指示でも
プログラムが作れる

ステップ 1 ▶ プログラミングはハードルが高かった

全然わから
ないや

プログラミング
言語を覚えな
いと

```
#include<stdio.h>
int main (void)
{
    printf("hello,world/n");
}
```

コードを書くには、プログラミングの基礎知識や
プログラミング言語の習得が必要です。

112

ステップ
2
 ▶ **ChatGPTならプロンプトによる指示でOK**

ChatGPT は、日本語で指示するだけでコードを書いてくれます。

ステップ
3
 ▶ **プログラミングがぐっと身近な存在に**

プログラミングの知識がなくても、ChatGPT を使って多くの人が
プログラムを作ることができるようになったのです。

10 もうプログラミングは要らないのか？

チューニングは
やっぱり必要

ステップ1 ▶ SaaSがあれば基本をカバーできる

SaaS※を利用すれば、誰でも手軽に、標準的なシステムを導入することが可能です。

SaaS で簡単に業務アプリが用意できたぞ！

低コスト　すぐ使える！

※ Software as a Service。使いたいソフトウェアをインターネット経由で利用できるクラウドサービスのこと。

114

ステップ2 ▶ 企業の強みは「標準」から秀でている点

独自の強みが標準システムに当てはまらないのは当然だよ

これだとウチのよさが死んでしまうんじゃ……

たしかにそうだな

標準より優れている点＝企業の強み。標準化されたシステムではどうしてもまかなえない箇所があります。

ステップ3 ▶ 自社の強みを活かすカスタマイズは必要

SaaSのよさとウチの強みが両立できた！

よくやった！

こういう時のためにプログラミングは必要だよね

SaaSの時代を迎えても、最低限のカスタマイズを行うためにプログラミングの知識は大切です。

11 プログラミングをChatGPT 任せにするデメリット

「ブラックボックス化」
が加速する

ステップ 1 ▶「プログラム」と「プロンプト」は違う

次は……

こんなプログ
ラムを作って

わかりました！

プロンプト
「やってほしい
こと」を伝える

プログラム
手順を細かく伝える

プログラムとプロンプトは、手順を人間が指示す
るのか AI が生成するのかという違いがあります。

ステップ 2 ▶ AIの生成の過程がわからない

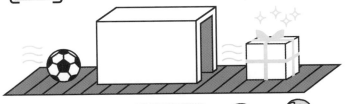

あの箱の中では
何が起きている
んだろう……

おっ！　成果物が
上がってきたよ！

AI がどのようなロジックでプログラムを
作ったかは、推測するしかありません。

ステップ 3 ▶ ロジックがわからないことの危うさ

そんな危険な
ものだったな
んて……

どうしよう
……

情報が外部に
ダダ漏れよ！

このプログラムを
作ったのは誰だ！

どのような仕組みで動いているのか
わかっていないものを、世の中に出
すのは危険な場合があります。

12 プログラミングこそが問題解決の武器になる

「デジタル技術で
解決する」という
選択肢が持てる

ステップ1 ▶ デジタルは問題解決の重要な手段

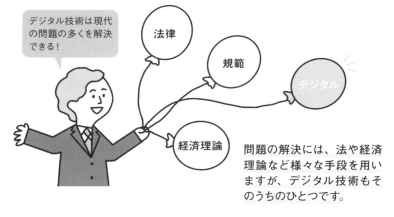

デジタル技術は現代の問題の多くを解決できる！

法律

規範

デジタル

経済理論

問題の解決には、法や経済理論など様々な手段を用いますが、デジタル技術もそのうちのひとつです。

118

ステップ 2 ▶ 問題の難易度や解決の可能性がわかる

プログラミングがわかると、その問題をデジタル技術でどのように解決できるのかを正しく判断できます。

ステップ 3 ▶ プログラミングで問題解決を身近にする

プログラミングという武器を備えることにより、問題解決をより身近なものにできるのです。

システム化は
業務の棚卸しに
使える

► システムを作ると業務への理解度がわかる

日々の仕事の問題点
が見つかってきたぞ

本質

業務の目的

解決方法

システムを作ることは、仕事の全
体像を把握し、その本質を理解す
るよいチャンスになります。

ステップ
2
 ▶ **仕事の仕組みを理解すると改善につながる**

出てきた改善点を修正してよいシステムを作るぞ

仕事の仕組みがわかれば改善点も自然と見えてきます。システムを使って、それを改善していくのです。

ステップ
3
 ▶ **本質を捉えたシステムは使いやすい**

システムが完成しました

仕事のムダが削減できた!

これなら誰でもすぐに使えそうです

仕事を的確に理解することで、わかりやすく使いやすい、よりよいシステムを作ることができます。

14 いいシステムを作るには「なまける気持ち」も重要

「楽をしたい」が
変革の
モチベーション

ステップ 1 ▶ **「タスク」になるといいものは生まれにくい**

タイトな納期

もっといい
感じにしてよ

顧客の要求

仕様に合わせる
意識

開発の目的が、問題の解決から離れていってしまうと本当にいいものは生まれません。

ステップ 2 ▶ 「楽をしたい」気持ちは悪いもの?

この作業って自動化できないのかな?

楽をすることばかり考えて……

ビジネスの現場には、常に「もっと楽に働きたい」「自分の環境をよくしたい」という気持ちを持つ人がいます。

ステップ 3 ▶ なまける気持ちや遊び心を大切にする

開発は進んでる?

順調さ

完成すればみんな定時で上がれるよ

仕事を少なくしたり、もっと楽しくしたいという気持ちは、変革のきっかけになる大切な発想です。

両者の勘所を
押さえる

▶ 開発側には現場の温度がわからない

今までのキャッシュフ
ロー計算書を一覧でき
るツールを作って

キャッシュフロー
計算書?
わかりました

システムの開発側はビジネス
用語や商慣習に疎く、業務を
担う側はそれを理解せず指示
していることもあります。

これか

ステップ 2 ▶ 勘違いがムダを生む

> えっ、それ違うんだけど……

> じゃあ作り直さないと……

わからない用語による指示は間違った解釈を生み、指示した側の意図とは違うシステムが出来上がります。

ステップ 3 ▶ 開発側に明確な要求をする

> 取引履歴をもっと簡単に見られるようにしてほしい

> 顧客データの項目から……

> わかりました！やってみましょう

業務側と開発側のギャップを埋めるために、プログラミングやデータサイエンスと業務の両方を知っているトランスレーター（通訳、翻訳者）の存在が重要です。

ChatGPTをどう使えば
ビジネス変革に活かせる?

ChatGPTをどのように使えばビジネスの変革に活用できるのでしょうか?

ChatGPTはビジネス変革の強力なパートナーです。

①24時間対応のAIチャットボットとして、カスタマーサポートを強化し、人間のチームの負担を減らす。

②内部の情報源として活用し、社員の質問に回答したり、社内の調査を助ける。

③ビジネスインテリジェンスのツールとして、複雑なデータ分析を助け、有用な洞察を提供する。

④コンテンツ生成ツールとして、マーケティングや広告のコピーを作成する。

これらの手段により、ChatGPTは業務効率を高め、ビジネスの成果を向上させます。

https://chat.openai.com/chat
※「GPT-4」モデルを使用しています。

▶▶ **参考文献**

ChatGPTや生成AIのことをもっと詳しく知りたい人は、
是非ともお読みください！

『いまなら間に合うデジタルの常識』(岡嶋裕史 著、日経BP)

『いまさら聞けないITの常識』(岡嶋裕史 著、日本経済新聞出版)

『実況！ビジネス力養成講義 プログラミング/システム』(岡嶋裕史 著、日本経済新聞出版)

『思考からの逃走』(岡嶋裕史 著、日本経済新聞出版)

┌─ **BOOK STAFF** ─

編集　　　丹羽祐太朗、細谷健次朗(株式会社G.B.)

編集協力　三ツ森陽和、吉川はるか

執筆協力　龍田昇、上田美里

イラスト　こかちよ(Q.design)

デザイン　森田千秋(Q.design)

監修　岡嶋裕史（おかじま・ゆうし）

中央大学 国際情報学部 教授 / 政策文化総合研究所 所長
1972年東京都生まれ。中央大学大学院総合政策研究科博士後期課程修了。
博士（総合政策）。富士総合研究所、関東学院大学経済学部准教授、関東
学院大学情報科学センター所長等を経て現職。専門は情報ネットワーク、
情報セキュリティ。
『Web3 とは何か』『メタバースとは何か』（以上、光文社新書）、『いまなら
間に合うデジタルの常識』『思考からの逃走』『実況！ビジネス力養成講義
プログラミング / システム』（以上、日本経済新聞出版）、『ブロックチェーン』
『5G』（以上、講談社ブルーバックス）など著作多数。

 倍速講義
ChatGPT ＆生成 AI

2023 年 10 月 3 日　第1版第1刷発行

監　修	岡嶋裕史
発行者	中川ヒロミ
発　行	株式会社日経BP
発　売	株式会社日経BP マーケティング
	〒 105-8308 東京都港区虎ノ門 4-3-12
	https://bookplus.nikkei.com/
カバーデザイン	野網雄太（野網デザイン事務所）
編　集	栗野俊太郎
印刷・製本	シナノ印刷

ISBN 978-4-296-00167-5
Printed in Japan
©Yushi Okajima, 2023